Petit Lapin va à l'école

Pour Elliot

ISBN 978-2-211-08696-7
Texte français de Claude Lager
Première édition dans la collection *lutin poche* : mai 2007
© 2004, l'école des loisirs, Paris, pour l'édition en langue française
© 2004, Harry Horse pour le texte et les illustrations
Édition originale : « Little Rabbit Goes to School », Puffin Books, Londres, 2004
Loi numéro 49 956 du 16 juillet 1949 sur les publications
destinées à la jeunesse : septembre 2005
Dépôt légal : septembre 2021
Imprimé en France par Estimprim à Autechaux

Petit Lapin va à l'école

Harry Horse

Pastel
les lutins de l'école des loisirs
11, rue de Sèvres, Paris 6ᵉ

Quand Petit Lapin se réveille, il sait qu'aujourd'hui n'est pas un jour comme les autres. C'est son premier jour d'école.

Petit Lapin sort Billy Cheval de son lit. « Viens, Billy Cheval, nous allons à l'école. »

Il brosse la queue de Billy Cheval et y attache un ruban rouge.

Puis il va trouver Maman. « Nous sommes grands, maintenant,
nous allons à l'école », dit fièrement Petit Lapin.
« Ce serait peut-être mieux de laisser Billy Cheval à la maison »,
dit Maman. « Je ne pense pas que les chevaux de bois aillent à l'école. »

Mais Petit Lapin ne veut rien entendre.
« Non, non, Maman,
Billy Cheval veut aller à l'école. »

Maman donne à Petit Lapin sa boîte à pique-nique.
« Ne l'ouvre pas avant le déjeuner », dit-elle.
« Non, non », crie Petit Lapin.

Petit Lapin sautille derrière ses frères et sœurs.
« Dépêche-toi, Billy Cheval.
Il ne faut pas arriver en retard à l'école. »

Un peu plus loin,
Billy Cheval veut se reposer.

Il a très envie d'ouvrir la boîte à pique-nique
pour voir ce qu'il y a dedans. Mais Billy Cheval
n'aime pas les sandwiches à la laitue.
Alors, c'est Petit Lapin qui doit les manger.

Billy Cheval n'aime pas non plus
le gâteau aux carottes.
Petit Lapin est bien obligé
de le manger également.

« Dépêche-toi, Petit Lapin,
tu vas arriver en retard à l'école »,
crient ses frères et sœurs.
« C'est Billy Cheval qui me fait
perdre du temps ! »

L'école est beaucoup plus grande que Petit Lapin ne l'avait imaginé.
Son institutrice, Mademoiselle Martin, est contente de le voir.
On dirait qu'elle aime bien Billy Cheval.

Mademoiselle Martin conduit Petit Lapin en classe. Il est très intimidé.
Tous les élèves tournent la tête vers lui et regardent Billy Cheval.

« Voici Petit Lapin », dit Mademoiselle Martin.

Puis elle s'assied et se met à lire une histoire :
Les vilains petits lapins.
C'est une chouette histoire mais Petit Lapin
est distrait par Billy Cheval qui n'arrête pas
de gigoter. Il veut galoper.

Il galope au-dessus de Benjamin.

Il galope au-dessus de Rachel…

et il galope même sur les chaussures de Mademoiselle Martin.
Petit Lapin essaie de le retenir mais c'est difficile.

Mademoiselle Martin installe Billy Cheval sur son bureau pendant que les élèves font de la peinture.

Ensuite, elle propose aux élèves de chanter une chanson :
Si tu as besoin d'un ami, il te suffit de siffler.
Petit Lapin aime bien chanter et Mademoiselle Martin
trouve qu'il siffle très bien.

Mais elle n'est pas du tout contente lorsque
Billy Cheval saute de son bureau et se met
à danser. Elle le met au coin pendant
le restant de la chanson.

Maintenant, les élèves préparent de la pâte à gâteau.
Soudain, Billy Cheval bondit dans le bol.

Mademoiselle Martin n'apprécie pas du tout.
Elle doit donner un bain à Billy Cheval.

Tous les petits lapins vont jouer dehors.
Ils font des cabrioles, creusent des trous
et se poursuivent dans l'herbe haute.

Petit Lapin, lui, joue tout seul avec Billy Cheval.
Il ne veut pas le partager avec Benjamin, ni avec Rachel.
« Billy Cheval ne veut pas jouer avec vous », dit-il.

Mademoiselle Martin agite la cloche. C'est l'heure du déjeuner. Tous les lapins ouvrent leur boîte à pique-nique. Petit Lapin se met à pleurer. « Que se passe-t-il, Petit Lapin ? » demande Mademoiselle Martin. « Quelqu'un a pris mes sandwiches, je n'ai plus rien à manger ! »

« Tu peux prendre un des miens », dit Benjamin.
« Tiens, Petit Lapin, ne pleure pas »,
dit Rachel en lui donnant un morceau
de gâteau aux carottes.

Quand ils ont fini de manger, Petit Lapin les laisse jouer
avec son cheval. « Billy Cheval vous aime beaucoup ! » dit-il.

L'après-midi, Mademoiselle Martin emmène une partie
des élèves en promenade. « Et si nous laissions Billy Cheval
dans la classe », propose-t-elle. « Oh non ! » dit Petit Lapin.
« Billy Cheval adore les promenades. »

Billy Cheval s'arrête devant une jolie fleur. « Mademoiselle Martin aimera sûrement cette fleur-là », se dit Petit Lapin. Et il lâche la main de Benjamin pour rester près de Billy Cheval.

« Mademoiselle Martin, regardez ce que nous avons trouvé ! » dit-il. Mais personne ne répond. Tout le monde est parti.

« Où êtes-vous ? » crie Petit Lapin.

Même avec Billy Cheval, il se sent seul.

Petit Lapin s'élance en traînant Billy Cheval derrière lui.

Il perd une chaussure.

Son manteau
s'accroche dans les ronces.

« C'est ta faute, Billy Cheval. À cause de toi,
je ne retrouverai plus jamais mon chemin ! »

C'est alors que Petit Lapin se souvient de la chanson
que Mademoiselle Martin leur a apprise ce matin.
Si tu as besoin d'un ami, il te suffit de siffler, chante Petit Lapin.
Sa chanson résonne dans le bois.

Au moment où il se met à siffler,
il entend Mademoiselle Martin qui l'appelle.

Petit Lapin court.

Mademoiselle Martin le prend dans ses bras.
Tous ensemble, ils reprennent le chemin de l'école.

Lorsqu'ils arrivent, Papa et Maman attendent Petit Lapin.

En rentrant à la maison, Petit Lapin leur raconte tout ce qui s'est passé
à l'école et, surtout, il leur parle de ses nouveaux amis.

« J'ai envie de retourner à l'école », dit Petit Lapin, « mais demain je laisserai Billy Cheval à la maison avec toi, Maman. Il fait trop de bêtises en classe ! » « C'est une très bonne idée », répond Maman.